COMMENT
STIMULER
LE POINT G

Du même auteur:
Les fantasmes: la clé d'une vie sexuelle épanouie
© Édimag inc. 1994

C.P. 325, Succursale Rosemont
Montréal (Québec), Canada H1X 3B8
Téléphone: (514) 522-2244
Télécopieur: (514) 522-6301
Courrier électronique: pnadeau@edimag.com

Éditeur: Pierre Nadeau
Mise en pages et couverture:
        Jean-François Gosselin
Réviseur: Denis René

Dépôt légal: deuxième trimestre 1998
Bibliothèque nationale du Québec
Bibliothèque nationale du Canada

© Édimag inc., 1998
Tous droits réservés pour tous pays
ISBN: 2-921735-73-3

Édimag inc. remercie le ministère du Patrimoine canadien du soutien accordé par son programme d'aide au développement de l'industrie de l'édition (PADIÉ).

YVES BOUDREAU

COMMENT STIMULER LE POINT G

MIEUX COMPRENDRE CE QUI FUT LONGTEMPS UN MYSTÈRE

TABLE DES MATIÈRES

DISTRIBUTEURS EXCLUSIFS

Pour le Canada et les États-Unis
LES MESSAGERIES ADP
955, rue Amherst
Montréal (Québec) H2L 3K4
Téléphone: (514) 523-1182
Télécopieur: (514) 939-0406

Pour la Suisse
TRANSAT S.A.
Route des Jeunes, 4 Ter
C.P. 1210
1 211 Genève 26
Téléphone: (41-22) 342-77-40
Télécopieur: (41-22) 343-46-46

Pour la France et la Belgique:
DILISCO DIFFUSION
122, rue Marcel Hartmann
94200 Ivry sur Seine
Téléphone: (1) 49-59-50-50
Télécopieur: (1) 46-71-05-06

Pour l'Amérique du Sud
AMIKAL
Santa Rosa 1840
1602 Buenos Aires, Argentine
Téléphone: (541) 795-3330
Télécopieur: (541) 796-4095
Courrier électronique: ebmessi@overnet.com.ar

INTRODUCTION

*F*inis les balivernes, les longs discours et les théories sur le point G! Vous tenez présentement entre les mains le livre qui va aider toutes les femmes à découvrir leur point G. Le fameux point G! Existe-t-il vraiment? Est-ce que toutes les femmes possèdent un point G? Où se trouve-t-il? Existe-t-il des exercices qui aident les femmes à le trouver? Et comment fait-on pour savoir que nous avons un point G?

Nous allons évidemment répondre à toutes ces questions. Mais nous allons aussi parler des techniques, des trucs, des façons de découvrir où se trouve le point G, et surtout, des manières de le stimuler. Une femme qui observe nos recommandations et qui peut bien enseigner, à son amant, à son amoureux ou simplement à l'homme avec qui elle fait l'amour comment elle aime se faire caresser, ne pourra plus jamais dire que le point G est une invention d'homme ou encore, l'invention d'un savant qui ne connaissait rien au corps de la femme. Alors, sans plus tarder, attaquons-nous directement au sujet, allons voir où se situe ce fameux point G et surtout, comment s'y prendre pour bien le stimuler.

CHAPITRE 1

UN PEU D'HISTOIRE

*I*l est fort probable que nos grand-mères n'ont jamais entendu parler du point G. Pourtant, la jouissance féminine, l'orgasme, existait bien avant la découverte du point G. En 1950, un médecin allemand, le Dr Gräfenberg, s'est posé de sérieuses questions au sujet de la sexualité féminine. À son cabinet, des femmes lui racontaient qu'au moment de la relation sexuelle, elles pouvaient uriner. Elles disaient éjaculer, ce qui, il faut bien l'admettre, semblait une révélation complètement farfelue. Après tout l'éjaculation, depuis le tout début des temps, était réservée aux hommes. Il faut aussi se replacer dans le contexte. Dans les années

50, la sexualité féminine était inexistante; c'est-à-dire que les femmes n'en parlaient pas, même si elles faisaient l'amour et même si elles en éprouvaient un grand plaisir. Il fallait donc que le Dr Gräfenberg fasse preuve d'un certain culot pour s'intéresser à ce phénomène.

Il a donc fait une série d'études et a interrogé des centaines de femmes pour en conclure que certaines femmes, au moment de l'orgasme, avaient effectivement une éjaculation. Mais pourquoi le phénomène était-il seulement réservé à une proportion minime de la population féminine? Et surtout, qu'est-ce qui déclenchait cette éjaculation? Le bon Dr Gräfenberg a donc continué à étudier le phénomène pour conclure finalement qu'il existait, dans le premier tiers du vagin, un point spécifique qui déclenchait justement cet orgasme accompagné d'une éjaculation.

MAIS OÙ EST-IL ?

On a gardé le plus grand secret relativement à ce point G (du nom, vous l'aurez compris, de Gräfenberg). Même les célèbres Masters et Johnson, les sexologues qui ont révolutionné les comportements sexuels chez les Occidentaux, ne parlaient pas du point G ou très peu.

Il faut noter un fait important dans le développement de la sexualité féminine. Quand Masters et Johnson ont fait leur imposante étude sur le comportement sexuel de l'homme et de la femme, ils ont conclu que le clitoris était la principale source de plaisir sexuel chez la femme. Après que le Dr Gräfenberg eut été le premier à parler du point G, cette théorie (le clitoris comme seule source de plaisir) survécut quand même durant plusieurs années encore. Mais les études se multipliaient et on faisait la preuve, de plus en plus souvent, que toutes les femmes possédaient ce fameux point G. Pourtant, quand on demande aux femmes si elles ont trouvé leur point G, la majorité d'entre elles répondent non.

Mais où est-il? se demandent les femmes. On a accusé les hommes de ne pas savoir caresser les femmes et surtout de ne pas savoir où les caresser pour leur faire découvrir le fameux point G. Pauvres hommes! Il y a à peine 30 ans, ils ne savaient même pas où se trouvait le clitoris; pire encore, ils ne connaissaient même pas cet organe de plaisir chez la femme. Ils touchaient au clitoris sans le savoir en caressant rapidement la vulve d'une femme. Alors, ne demandez surtout pas à un homme de vous aider à trouver votre point G, il ignore sans doute où il se trouve. Il y a moyen, par contre, de lui demander de vous aider à le trouver.

D'autre part, les experts ne s'entendent pas tous pour déterminer l'endroit précis, à l'intérieur du vagin, où se situe ce point qui devrait conduire toutes les femmes au septième ciel. La nouvelle théorie tend à dire que le point G ne se trouve pas exactement au même endroit chez toutes les femmes. On est cependant d'accord pour dire que le point G se situe dans le vagin, juste derrière l'os pubien, dans le premier tiers antérieur du vagin. Il se trouverait entre l'arrière de l'os pubien et l'avant du col de l'utérus (voir dessins en pages 51 et 52). Mais quand on fait l'amour et qu'un homme fait pénétrer son doigt dans le vagin de sa partenaire, il ne pense sûrement pas à aller toucher à mi-chemin entre l'arrière de l'os pubien et l'avant du col de l'utérus... S'il fallait que les couples se mettent à faire l'amour en pensant autant, en se caressant comme s'ils passaient un examen gynécologique, la sexualité ne serait pas très excitante à vivre.

LES ZONES ÉROGÈNES

Ce n'est pas parce que le point G est difficile à découvrir qu'il faut croire qu'il n'existe pas. Reprenons l'exemple du clitoris. Le clitoris n'a jamais été reconnu à sa juste valeur. Pourtant, le clitoris est aujourd'hui l'organe le plus valorisé en sexualité féminine. Il y a bien d'autres zones érogènes sur notre corps. La bouche est la première partie du corps qui excite l'être humain. L'enfant découvre très rapidement sa bouche comme source de plaisir. Dès qu'il peut bouger les bras, il met les doigts dans la bouche; dès qu'il peut prendre un objet dans la main, il dirige cet objet entre ses lèvres. Il salive, il a du plaisir.

La seconde découverte sensuelle de l'enfant lui vient de son anus. Quand l'enfant fait son caca, il éprouve un grand plaisir. Freud appelait cette découverte «la phase anale». Évidemment, cette partie du corps est une des plus tabous chez les humains. Même si l'anus est un organe très sensible aux caresses, il est souvent ignoré à cause des concepts d'aseptisation et de propreté qui règnent en Occident. Parce que l'anus est relié à la défécation, on le caresse très peu, sauf au cours des relations homosexuelles masculines.

L'enfant découvrira ses organes génitaux beaucoup plus tard. Il suffit cependant de voir un petit enfant se faire laver les organes génitaux par un de ses parents pour voir apparaître, très souvent, un grand sourire sur son visage. Il ne sera pas porté, avant l'âge de quatre ou cinq ans, à se toucher les parties génitales. Certes, la vulve et le pénis sont les parties les plus sensibles aux caresses. Mais tout notre corps peut être considéré comme une zone érogène.

Plus tard, quand les seins de l'adolescente commenceront à pousser, ils deviendront très sensibles. On a cependant observé que plus une partie du corps était caressée, plus elle devenait sensible aux caresses. Pourquoi les seins des femmes sont-ils plus sensibles que les seins des hommes? Probablement parce que les hommes ont toujours caressé les seins des femmes et que les femmes n'ont jamais vraiment caresser ceux des hommes; les seins des hommes ne sont pas considérés comme très sensibles aux caresses.

Une nouvelle zone érogène est née chez la femme avec la découverte du point G. Écoutons le Dr Gräfenberg en parler : «On a découvert qu'une zone érogène existait chez chaque femme, dans la paroi antérieure du vagin, le long de l'urètre. Cette zone est entourée de tissus caverneux qu'on pourrait comparer au corps caverneux du pénis. La stimulation de cette région vaginale provoque un élargissement de l'urètre. À la fin de l'orgasme, au moment de la résolution (la résolution est la descente émotive après un orgasme), on remarque que l'urètre est gonflé au maximum. La partie la plus sensible se trouve à l'arrière de l'urètre.»

Cette révélation a changé bien des données concernant la sexualité féminine. On n'avait jamais pensé ou cru que l'urètre chez la femme, pouvait provoquer des orgasmes. Comme l'urètre est située tout près de la paroi vaginale, cette partie du corps est stimulée pendant la pénétration et elle déclenche, quand on touche à un point bien précis, un orgasme. Le Dr Gräfenberg, en tentant de localiser exactement le point G, a raconté que si nous pouvions placer une petite montre à l'intérieur du vagin, la position de midi étant dirigée vers le nombril, le point G se situerait entre 11 h 00 et 13 h 00. Couchez-vous sur le ventre, imaginez une petite horloge dans votre vagin avec le midi vers le haut et votre point G se trouvera à quelque part entre les chiffres 11 et 1 (pour 11 h 00 et 13 h 00).

On a tenté aussi de déterminer la grosseur du point G. S'agit-il d'un point gros comme une tête d'épingle ou comme un petit pois? La grosseur du point G varie d'une femme à l'autre. On a quand même pu établir une certaine moyenne et le fameux point serait gros comme le bout ou l'efface d'un crayon à mine. Comme il se trouve appuyé beaucoup plus près de la paroi de l'urètre que de la paroi vaginale, on ne peut pas le sentir sous la pression du doigt. Il faut cependant dire que la grosseur n'a au-cune importance quant à la localisation ni surtout, quant à la sensibilité du point G. Un peu comme le clitoris ou le pénis, un point un peu plus gros n'a aucune influence sur le plaisir sexuel. Un hom-me avec un gros pénis ou une femme avec un clitoris plus gros que la moyenne ne jouit pas plus qu'une personne avec des organes génitaux moins volumineux.

ÉJACULATION FÉMININE

Maintenant qu'elle sait un peu mieux où se trouve le point G et quelle grosseur il peut atteindre, comment une femme peut-elle savoir que son point G vient de lui procurer un orgasme? Une femme qui atteint l'orgasme en stimulant son point G ne pourra jamais dire qu'elle n'a pas joui. L'orgasme par la stimulation de ce point provoque une éjaculation assez forte, avec un jet souvent puissant. Des auteurs québécois ont même parlé du phénomène des «femmes fontaines» pour décrire ce qui se passait au moment de l'orgasme chez les femmes qui ont découvert leur point G.

On ne tombera pas ici dans les descriptions scientifiques et les analyses biologiques pour décrire d'où vient ce liquide et de quoi il est composé. Au début, on croyait que les femmes urinaient en ayant leur orgasme. Quand on les interrogeait, elles disaient ne jamais avoir eu l'envie d'uriner et ne pas comprendre du tout ce qui se passait. Puis, on a pensé que l'excitation était tellement grande que la lubrification vaginale devenait abondante. Pourtant, le liquide éjaculé n'avait rien à voir avec la lubrification vaginale. Habituellement, la lubrification vaginale chez la femme est quelque peu épaisse et légèrement collante. L'odeur, différente chez chaque femme, est aussi très particulière. Le liquide, au moment de l'éjaculation lié à l'orgasme féminin, n'a rien en commun avec la lubrification vaginale. Il s'agit en fait d'un liquide très différent de celui de la lubrification vaginale. Un peu comme le sperme chez les hommes, la substance du liquide éjaculé au moment de l'orgasme varie d'une femme à l'autre. Chez les hommes, le sperme composé principalement du liquide prostatique (plus un faible pourcentage de liquide séminal et 10 % de spermatozoïdes) n'a pas la même consistance, ni la même couleur, chez chacun d'eux.

C'est la même chose pour le liquide que la femme éjacule au moment de l'orgasme. Ce liquide peut être incolore, clair ou même laiteux. De toute évidence, et les études le prouvent, il ne s'agit pas d'urine. Il s'agit d'un liquide qui ressemble beaucoup au sperme de l'homme et au liquide prostatique. Sans entrer dans les détails scientifiques, il est intéressant de savoir que l'on a trouvé dans ce liquide éjecté, non pas par le vagin mais par l'urètre, de la phostatase (acide prostatique), de l'urée, de la créatinine et du glucose. Si nous vous présentons ces détails, c'est pour vous montrer clairement qu'il ne s'agit pas d'urine puisque l'urine n'est pas composée de ces substances.

Si vous doutez que les femmes peuvent éjaculer, il y a un moyen bien simple d'en avoir la preuve vivante. Allez dans un club vidéo et cherchez dans la section des films érotiques un film qui annonce que les femmes éjaculent (ils sont rares, mais ils existent). Vous verrez que certaines femmes, en se masturbant, vont éjaculer un liquide au moment de l'orgasme. C'est d'abord le signe évident qu'elles peuvent jouir en tournant un film porno (généralement les comédiennes font semblant d'avoir des orgasmes) et ensuite, vous verrez qu'elles peuvent atteindre plusieurs orgasmes à la suite les uns des autres, et ce, en éjaculant à chaque fois. Quand vous verrez ces scènes, vous ne douterez plus jamais de l'éjaculation féminine.

POURQUOI ELLE ET PAS MOI?

Évidemment, la première question qui nous vient en tête est de savoir pourquoi certaines femmes peuvent jouir en éjaculant alors que d'autres n'y parviennent pas du tout? On peut expliquer le phénomène de plusieurs façons. Une des premières raisons qui expliqueraient chez plusieurs femmes l'absence d'éjaculation au moment de l'orgasme, c'est la gêne. Il existe une foule de cas vécus où les femmes racontent qu'elles se sont retenues toute leur vie pour ne pas éjaculer au moment de l'orgasme. Convaincues qu'elles urinaient au lit, convaincues qu'elles étaient aux prises avec un grave problème urinaire, elles ont cessé de jouir en faisant l'amour. De plus, certains hommes étaient dégoûtés de voir que leur épouse ou leur maîtresse urinait en jouissant. Craignant le pire, elles se retenaient et leur vie sexuelle était complètement anéantie.

Si les femmes qui éjaculent se retiennent pour ne pas faire peur aux hommes, ça n'explique pas pourquoi une très grande majorité des femmes n'ont jamais éjaculé et, par le fait même, n'ont jamais trouvé leur point G. Ici, on doit parler des mythes de l'orgasme clitoridien et de l'orgasme vaginal. Il est beaucoup plus difficile pour une femme d'atteindre un orgasme vaginal qu'un orgasme clitoridien. Le clitoris est beaucoup plus accessible et facile à caresser. Encore aujourd'hui, plusieurs femmes n'osent pas se masturber en entrant des doigts dans leur vagin. Elles vont développer une sexualité clitoridienne et quand elles jouiront avec un homme, elles auront plus de facilité à obtenir l'orgasme par stimulation clitoridienne. Il arrive aussi assez fréquemment que les hommes ne demeurent pas suffisamment longtemps à l'intérieur du vagin pour permettre à la femme d'être stimulée et de centrer son plaisir sur son point G.

La position est aussi très importante. On verra dans le chapitre sur les techniques servant à découvrir le point G que certaines positions vont aider les femmes à mieux jouir. La pire position, celle qui ne permet pas à un homme de bien stimuler le point G avec son pénis, est la position du missionnaire. Quand l'homme est couché sur la femme, son pénis se dirige plus vers le fond postérieur du vagin, alors que le point G est davantage situé dans le premier tiers antérieur du vagin. De plus, la position du missionnaire ne permet pas à la femme de bouger. Une femme qui connaît bien son corps et son point G peut, en faisant l'amour, bouger le bassin; cela lui permettra de positionner le pénis de l'homme de manière à ce qu'il touche à son point G. La fameuse position du missionnaire a gagné en popularité avec la naissance du catholicisme. Parce que la religion catholique ne voyait pas d'un très bon œil les relations sexuelles, les couples faisaient l'amour très rapidement, dans le noir et dans le lit. L'homme prenait sa femme en lui relevant la jaquette et en montant sur elle. Pourtant, comme chez les animaux, les humains, au début des temps, se prenaient par-derrière. La femme, pour exciter un homme, offrait ses parties génitales en lui montrant ses fesses et en se baissant. L'homme arrivait par-derrière et la pénétrait. On verra que cette position possède des avantages énormes au cours des relations sexuelles..

Les hormones peuvent aussi jouer un rôle. Les experts prétendent que les hormones peuvent avoir une part très importante dans l'éjaculation féminine et la découverte du point G. On a remarqué que les femmes perdent leur point G lors de la ménopause, c'est-à-dire qu'elles n'ont pas d'éjaculation lorsqu'elles atteignent l'orgasme. On a aussi remarqué que les jeunes filles n'éjaculent pas avant la puberté (comme chez les garçons). Cette dernière hypothèse est toutefois moins solide parce que les jeunes filles parlent très peu de leur sexualité. Si elles n'en parlent pas beaucoup ou presque pas à l'âge de la puberté, elles en parlent encore moins avant leur puberté.

Enfin, certaines études ont constaté que les femmes qui, pour différentes raisons, font des exercices avec les muscles pelviens (on expliquera un peu plus loin comment s'y entraîner) ont plus de facilité à découvrir leur point G et à éjaculer que les femmes qui n'en font pas. Par exemple, des femmes qui ont éprouvé des problèmes de vessie et de rein doivent, quand le médecin le conseille, faire des exercices très spécifiques qui vont justement renforcer ces muscles. Elles ont déjà déclaré qu'après avoir fait leurs exercices pendant une certaine période, elles avaient amélioré leur vie sexuelle, et certaines d'entre elles ont même découvert l'éjaculation.

Avant de passer aux exercices pour découvrir le point G, il faut maintenant se demander s'il faut faire tant d'histoire avec tout ça? Qu'il suffise de dire qu'il est très important d'améliorer tous les aspects de notre vie, et la sexualité représente justement l'un des aspects de la vie. Certaines femmes sont complètement épanouies sexuellement; elles jouissent, principalement par stimulation clitoridienne, et elles n'ont pas à se plaindre de leur vie sexuelle. Mais quand on a la chance de découvrir de nouvelles avenues, pourquoi se fermerait-on les yeux? Le prochain chapitre vous aidera à découvrir votre point G, à faire des exercices pour le stimuler et vous procurer un tout nouveau plaisir, un plaisir qui vous fera rêver pendant plusieurs années.

CHAPITRE 2

EXERCICES FACILES

*E*n sexologie, toutes les études tendent à démontrer que les femmes qui ont expérimenté l'orgasme en se masturbant n'éprouvent pas tellement de problèmes à jouir quand elles font l'amour avec un homme. On sait que les femmes, lors de leurs premières relations sexuelles, ne découvrent pas nécessairement l'orgasme. Plusieurs facteurs peuvent expliquer cette lente ascension vers le plaisir suprême. La peur d'avoir mal lors de la première pénétration, la crainte souvent subconsciente de tomber enceinte, le doute face à l'amour (le premier amant l'aime-t-il vraiment ou veut-il simplement faire l'amour avec elle?), la peur aussi de ne pas être la hauteur et le fait que leur partenaire jouit beaucoup trop vite, peuvent être autant de raisons qui expliquent que les femmes ne découvriront pas l'orgasme dès les premières relations sexuelles.

Alors que les hommes souffrent du problème contraire, c'est-à-dire que la majorité des adolescents qui font l'amour pour la première fois vont éjaculer beaucoup trop vite, la femme devra apprendre à bien connaître son corps pour en retirer le plus de joie possible. Prenons par exemple une jeune fille qui n'a jamais touché à son clitoris, qui n'a jamais osé aventurer son doigt dans son vagin, peu importent les raisons. Quand elle aura une première relation sexuelle, elle ne saura vraiment pas à quoi s'attendre. Il faut aussi prendre en considération que son amant, dans la majorité des cas, n'a pas beaucoup plus d'expérience qu'elle. Il caressera sa partenaire de façon malhabile, souvent sans tact. Il appuiera les doigts trop violemment sur le clitoris, il voudra pénétrer sa partenaire trop rapidement. Il éjaculera aussi trop rapidement. Il faut mentionner que les adolescents n'ont pas toujours le temps voulu pour avoir des relations sexuelles et ils font l'amour dans des endroits très peu propices à la détente et au bien-être (l'automobile demeure l'un des endroits où les adolescentes et les adolescents ont leur première expérience sexuelle).

Avant d'avoir une première re-lation sexuelle, les adolescents vont se toucher. Si la fille a besoin d'une certaine adaptation pour découvrir son corps, le garçon éprouvera le problème contraire. Il aura besoin d'une certaine adaptation pour retenir son éjaculation. Il est donc bien évident que les premières ren-contres sexuelles, pour une fille, ne sont pas toujours satisfaisantes. Si le garçon se vante d'avoir enfin fait l'amour, la fille a plus tendance à garder le secret pour elle-même ou à le partager seulement avec sa meilleure amie.

Pourquoi parler des amours d'adolescence quand on veut expliquer la façon de découvrir le point G? Il est très important de découvrir son corps pour connaître une bonne sexualité. Et si un partenaire peut nous aider à faire cette découverte, nous sommes certainement les mieux placées pour savoir ce que notre corps apprécie ou apprécie moins. Dans le cas du point G, une femme qui se connaît bien pourra faire des expériences, se caresser, explorer son corps dans la joie. Des surprises très agréables pourraient vous faire découvrir que le corps est un magnifique instrument de plaisir.

LES MUSCLES PELVIENS

Comme nous le disions au chapitre précédent, les muscles pelviens jouent un rôle de premier plan dans la sexualité des femmes et des hommes. Parmi les muscles pelviens, le muscle pubo-coccygien (voir dessin en page 52) est sans doute le plus important pour un sain développement de la sexualité. Ce muscle se situe entre l'os pubien et le coccyx. C'est grâce à ce muscle qu'une femme peut percevoir des sensations au niveau du clitoris, de la vulve, du vagin, du périnée (partie du corps très sensible située entre l'anus et l'entrée du vagin) et de l'anus. Par exemple, un muscle pelvien bien développé, et surtout le pubo-coccygien, aidera les femmes à avoir des contractions supérieures lors de l'accouchement et dans bien des cas, cela facilitera la naissance. D'ailleurs, dans les cours qu'on donne aux femmes enceintes, certains exercices favorisent justement le renforcement de ce muscle. Ce muscle enverra des signaux au cerveau au moment de l'orgasme. Alors, plus il sera développé, plus le plaisir sexuel sera grand.

Comme le muscle pubo-coccygien se trouve non loin du point G, son développement aura une influence certaine sur votre sexualité et sur la possibilité de découvrir votre point G. On verra plus loin qu'il existe plusieurs exercices pour découvrir le point G; mais il faut commencer par le début et renforcer ce muscle qui vous aidera à vivre une sexualité tellement plus débordante. Allons-y immédiatement avec les exercices solitaires.

SEULE AVEC VOTRE CORPS

Il est très important pour une femme de bien découvrir son corps et de se sentir à l'aise avec lui. Nous allons donc commencer avec des exercices très simples. Évidemment, pour bien réussir ces exercices, il faut avoir des moments de solitude. Dès que vous avez une heure ou une demi-heure, même si votre emploi du temps est très chargé, installez-vous confortablement soit dans votre chambre, soit dans la salle de bain, soit encore dans la pièce de la maison où vous vous sentez le mieux. Permettez-vous, peut-être pour la première fois de votre vie, de bien regarder vos organes génitaux. Il faut absolument que vous laissiez la gêne à la porte de la pièce où vous vous trouvez. Vous êtes seule, vous ne faites rien de mal et la culpabilité ne doit jamais vous envahir. Il ne faut pas avoir peur de bien regarder ses organes génitaux. Les hommes n'éprouvent pas ce problème puisque leurs organes sont extérieurs. Vous ouvrez bien les jambes et, à l'aide d'un miroir, vous explorez votre vulve, vous localisez le clitoris, le méat urinaire, l'entrée vaginale, le périnée, cet espace entre le vagin et l'anus, l'anus aussi. N'ayez pas peur de toucher, n'ayez pas peur d'ouvrir votre vulve, de distinguer les petites lèvres des grandes lèvres, de regarder l'intérieur de votre vagin aussi. Faites-vous plaisir, caressez-vous, provoquez une lubrification. Allez aussi caresser votre anus, vous découvrirez des plaisirs insoupçonnés si vous agissez ainsi pour la première fois. Il ne faut pas, non plus, avoir peur de faire pénétrer les doigts dans le vagin. Tournez un doigt ou deux à l'intérieur, tentez de découvrir ce qui vous fait le plus plaisir. Lors de ce premier exercice, il est important de bien vous regarder et surtout de découvrir la beauté et l'attrait de vos organes génitaux. Une vulve, vous le remarquerez, s'ouvre comme une fleur quand vous êtes en état d'excitation. Le but de cet exercice est de vous faire découvrir et non de vous masturber. Mais il ne faut jamais mettre d'interdit à notre sexualité. Si, en vous observant ainsi, votre désir vous conduit à la masturbation, ne résistez pas, donnez-vous du plaisir.

Cet exercice peut se répéter assez souvent, aussi souvent que vous le désirez. Quand vous connaîtrez bien votre vulve, vous ne sentirez plus le besoin de vous observer ainsi régulièrement.

RENFORCER LE MUSCLE

Maintenant, toujours avec votre miroir, passons à la deuxième étape des exercices. Bien installée, les jambes un peu surélevées devant le miroir, contractez les fesses comme si vous vous reteniez d'uriner. Faites le mouvement cinq ou six fois de suite. Vous verrez que le

périnée, l'anus et les cuisses se contrac-
tent. L'exercice consiste à isoler le muscle
pubo-coccygien et plus votre périnée,
votre anus et vos cuisses bougeront,
moins le muscle travaillera. Il faut arriver
à pratiquer cet exercice sans que les trois
parties du corps que nous venons de
mentionner bougent trop. Il faut parvenir
à faire bouger ce muscle sans que les
autres parties du corps ne bougent trop.

Il peut paraître difficile de faire
ces exercices, mais avec le temps vous
verrez que vous êtes en mesure de
renforcer votre muscle pelvien sans trop
d'effort. Et pour bien le localiser, vous
entrez un doigt dans le vagin et vous
faites toujours les exercices de contractions (comme si vous vouliez retenir
votre urine). À un moment donné, avec
un peu d'expérience, vous pourrez sentir
à l'intérieur même du vagin ce muscle
essentiel au bon développement de
votre sexualité. Comme il s'agit d'un
muscle, il est possible de le faire grossir
au moyen d'exercices. Chez une femme

qui possède un muscle pubo-coccygien faible, il sera gros comme un crayon mais chez une femme qui le développe, il pourra facilement atteindre le double de cette grosseur.

LES EXERCICES

Maintenant que vous avez fait un bon travail d'exploration, que vous vous sentez à l'aise avec vos organes génitaux, que vous pouvez les regarder et surtout les toucher sans peur, il faut donner de la force à ce muscle. Quand un homme dit qu'une femme a un grand vagin, ce n'est pas que la femme a un grand ou un petit vagin; c'est que son muscle pubo-coccygien n'est pas très bien développé. De très petites femmes munies d'une entrée vaginale qui nous semble assez étroite, peuvent donner l'impression d'avoir un très grand vagin, et l'inverse est aussi vrai.

Dans un premier temps, vous pouvez faire chaque jour entre 200 et 300 contractions du muscle en question (toujours en refermant et en relâchant les sphincters de l'anus et de l'urètre). Mais il faut faire attention. Au début, au cours de la première semaine par exemple, vous pouvez faire une cinquantaine de contractions par jour. Vous retenez chaque contraction pendant deux secondes avant de relâcher. Après la première semaine, vous augmentez votre rythme à environ 75 ou 100 contractions par jour, ce qui ne devrait pas vous demander plus de 10 minutes. Après un mois, vous devriez en être à environ 300 contractions par jour et à une vingtaine de minutes d'exercice. Vous n'êtes pas obligée, et il est même préférable qu'il n'en soit pas ainsi, de faire les exercices en une seule séance. Une cinquantaine de contractions le matin, puis d'autres séries plus tard au cours de la journée, devraient vous aider à développer un des muscles les plus importants pour vivre une sexualité enrichissante.

L'exercice est très simple et se pratique n'importe où, autant dans le métro qu'au supermarché. Vous pouvez faire cet exercice étendue sur le dos ou debout, vous obtiendrez les mêmes résultats.

Toujours pour renforcer le muscle pubo-coccygien, vous pouvez utiliser un objet que vous introduirez dans votre vagin (on verra que le même objet pourra servir à chercher, en solitaire, votre point G). Ainsi, vous introduisez un objet de la grosseur d'un pénis, un vibrateur normal qu'on trouve dans toutes les bonnes boutiques érotiques fait amplement l'affaire, après l'avoir lubrifié suffisamment pour que la pénétration se fasse doucement. Si vous êtes assez excitée pour utiliser votre propre lubrification, c'est tant mieux, sinon utilisez un lubrifiant comme du K-Y que vous trouverez dans toutes les pharmacies. N'utilisez jamais de vaseline pour lubrifier votre vibrateur. La vaseline contient du pétrole et cela nuit à la flore vaginale. Une fois que le vibrateur est bien introduit en vous, faites le même exercice que celui que vous faisiez sans objet. Vous contractez et vous relâchez les sphincters comme pour uriner. Utilisez, dans le cas de cet exercice, votre imagination. Imaginez que l'objet que vous avez en vous est le pénis de l'homme que vous désirez. Tentez, en recourant à votre imagination, de l'enrober complètement de la douceur de votre vagin, de le serrer d'amour et de passion. Évidemment, vous n'êtes pas toujours dans des conditions idéales pour pratiquer cet exercice. En alliant les deux méthodes, vous verrez en très peu de temps des changements radicaux au niveau de votre vie sexuelle. Au bout d'un certain temps, vous serez capable de tenir une contraction pendant environ dix secondes. Ne forcez pas au début mais petit à petit, retenez votre contraction; plus le muscle pubo-coccygien sera fort, plus il pourra retenir la contraction longtemps. Et quand vous ferez l'amour, vous noterez une différence incroyable.

POUR TROUVER VOTRE POINT G

Vous vous demandez bien ce que le muscle pubo-coccygien vient faire avec la recherche du point G. C'est simple. Si votre vagin prend de la force, vos relations sexuelles ne seront plus jamais pareilles et en plus, vous pourrez beaucoup plus facilement contrôler votre vagin et diriger le pénis de votre partenaire vers ce point qui vous fera jouir comme jamais. En outre, comme la stimulation du point G provoque une éjaculation, le muscle pelvien aidera à en provoquer une qui soit puissante puisque le muscle, en bandant, s'appuiera contre le point G et contribuera très utilement à l'intensité de l'orgasme.

Mais peut-on faire des exercices pour le trouver, ce fameux point G? Oui. Toujours seule, vous vous installez dans votre lit ou dans le fauteuil que vous préférez. On vous conseille de vous mettre complètement nue pour sentir toute la peau de votre corps frémir sous vos caresses. Au début, essayez de vous plonger dans un contexte érotique. Votre imagination peut vous amener très loin. Il est aussi très important d'être bien détendue. On a souvent remarqué, surtout chez les femmes qui manifestent des problèmes orgasmiques, que la nervosité et la tension corporelle ne favorisent pas le contact sexuel. Au début de cet exercice, il est intéressant d'utiliser à nouveau votre miroir pour bien voir ce que se passe.

Une fois bien installée (une petite musique d'ambiance est toujours appropriée), vous commencez donc à vous caresser. Caressez bien votre clitoris, ne négligez pas non plus de caresser vos seins; mouillez bien les lèvres de votre bouche avec la langue; touchez doucement votre anus. Vous verrez s'ouvrir votre vulve au plaisir. Puis, avec un doigt ou deux doigts, allez visiter votre vagin. Tournez les doigts dans tous les sens (vous pouvez avec l'autre main, si vous avez laissé tomber le miroir, continuer à caresser votre clitoris). Quand vos doigts chercheront dans votre vagin, n'ayez pas peur d'appliquer une pression sur la paroi du vagin. Il est possible, si vous êtes bien disposée, d'obtenir un orgasme en faisant cet exercice. Laissez-vous aller. Si lors des premières expériences vous ne trouvez pas votre point G, ne vous découragez-vous pas. Il vous faudra probablement refaire l'exercice plusieurs fois avant d'y parvenir.

Le deuxième exercice consiste, comme dans ceux qui visent à renforcer le muscle pelvien, à utiliser un objet, de préférence un vibrateur, pour chercher votre point G. Si vous avez déjà utilisé un objet pour vous caresser et que vous vous sentez bien avec cet objet, utilisez-le de nouveau pour faire cet exercice. Certaines femmes vont prendre une chandelle pour se caresser, d'autres vont préférer un objet différent. Il est important que l'objet soit propre et bien lubrifié.

Toujours dans le même contexte, en choisissant un endroit agréable et confortable, en écoutant une musique que vous aimez, vous introduisez l'objet en vous et vous vous appliquez, tout en vous faisant plaisir, à trouver votre point G. L'objet a l'avantage de laisser votre imagination vagabonder et de pénétrer un peu plus profondément en vous.

LES POSITIONS

Si vous vous souvenez bien, nous vous avons expliqué au début de ce livre que les positions amoureuses pouvaient avoir une influence très marquée sur les réactions sexuelles d'une femme et sur la stimulation de son point G. Une femme qui expérimente seule la recherche de son point G doit choisir les positions favorables à cette recherche. Voici donc les quelques positions qui vous aideront à trouver plus facilement votre point G.

COUCHÉE SUR LE DOS

Si, en couple, la position du missionnaire n'est pas la plus propice à la stimulation du point G, il en va autrement quand une femme est seule. Quand un homme est couché sur sa partenaire, cette dernière n'a pas tellement la possibilité de bouger et d'aider l'homme à stimuler son point G une fois que le pénis se trouve à l'intérieur du vagin. Trop lourd pour elle, la femme ne peut pas bouger son bassin et chercher à atteindre le maximum de plaisir.

Par contre, avec les doigts ou avec un objet, une femme seule, assise ou couchée, pourra bouger, changer facilement de position, faire danser son bassin pour tenter de trouver le point G. Si la position couchée ou assise n'est pas la meilleure, elle a toutefois l'avantage de favoriser la relaxation.

À QUATRE PATTES

La position la plus adéquate pour pratiquer de bons exercices est celle où vous vous mettez à quatre pattes dans le lit (ou par terre, mais c'est plus douloureux pour les genoux). Dans cette position, vous pouvez facilement entrer les doigts ou un objet dans votre vagin et bouger très librement à la recherche du point G. Comme le fameux point, dans cette position, se trouve vers le haut, vos doigts seront peut-être plus efficaces qu'un vibrateur, bien que le vibrateur puisse faire l'affaire. Puisque vous avez les fesses relevées, il est possible de passer la main au-dessous ou au-dessus et vous avez toute la liberté nécessaire pour bouger.

COUCHÉE SUR LE VENTRE

La position couchée sur le ventre est une variante de la position à quatre pattes dans le lit. Vous pouvez vous coucher sur le ventre et entrer les doigts ou le vibrateur par-derrière en levant les fesses. De cette façon, vous pouvez facilement frotter les seins et le bas du ventre contre le lit ou le divan, tout en caressant votre vagin à la recherche du plaisir. Cette position, plus érotique, ne donne cependant pas des résultats aussi probants que la position à quatre pattes. En étant couchée sur le ventre, on risque de diminuer un peu la concentration et d'abandonner les doigts et le vibrateur pour se masturber. Il n'y a rien de mal à agir ainsi, mais il ne faut pas oublier que le but de l'exercice est de trouver le point G.

DEBOUT

Voici peut-être la méthode la plus efficace pour trouver le point G. Cette position n'est peut-être pas des plus confortables, mais elle aide énormément une femme à bien explorer son vagin. L'idéal est de s'installer debout, en posant un pied sur une chaise et en ouvrant les jambes assez grandement. Ici, le geste est beaucoup plus exploratoire qu'érotique. Une fois bien stable, avec les doigts, on touche les parois de son vagin dans tous les coins et recoins en appuyant quand même assez fortement pour bien sentir le point G lorsqu'on le stimule. Dans cette position, l'utilisation d'un vibrateur n'est pas très efficace. On peut toutefois l'utiliser parce que, dans la position debout, une femme peut plus facilement bouger son bassin; mais la pénétration d'un vibrateur, dans cette position, risque de vous rendre inconfortable.

DE CÔTÉ

Enfin, la position couchée sur le côté, un peu comme un fœtus, favorise le confort mais n'a pas l'efficacité des positions mentionnées ci-haut. Quand vous êtes couchée sur le côté, vous pouvez difficilement ouvrir les jambes et, même avec les doigts, la recherche du point G devient plus difficile.

AVEC VOTRE PARTENAIRE

Maintenant que vous connaissez bien votre corps et que vous commencez tout doucement à découvrir chez vous des forces sexuelles que vous ne soupçonniez même pas, grâce surtout à votre autoanalyse et à votre autostimulation, il est temps de faire profiter votre partenaire de ces découvertes et surtout, d'avoir du plaisir au moment de vos relations sexuelles. Il n'est pas évident que vous parviendrez à jouir de la pénétration vaginale dès les premières relations sexuelles, même si vous avez découvert votre point G en faisant les exercices en solitaire. Vous pouvez d'ailleurs très bien faire des exercices avec ce partenaire, en lui expliquant le plus exactement possible vos désirs, vos attentes et votre capacité de jouir.

Il faut que vous vous conditionniez à faire vos devoirs (tellement agréables) chaque jour. Si vous n'éprouvez pas nécessairement de désir sexuel tous les jours, il serait très profitable de faire vos exercices régulièrement, même si vous ne prenez que quinze ou vingt minutes avec votre partenaire. Ne forcez pas. Si ni l'un ni l'autre n'a vraiment le goût de faire les exercices, laissez tomber, bien qu'un petit effort pourrait vous réserver des surprises.

Il faut ici ouvrir une parenthèse pour bien expliquer que la recherche du point G ne signifie pas le rejet de l'orgasme clitoridien. On peut dire que la femme qui obtient un orgasme par stimulation vaginale (ce qui ne veut pas dire que le clitoris est inactif à ce moment-là), et qui a une éjaculation, ne doit pas sous-estimer les autres parties de son corps. On le répète souvent, les réactions sexuelles se passent souvent dans la tête. En effectuant les exercices avec votre partenaire pour trouver votre point G, il ne faut négliger aucune partie de votre corps.

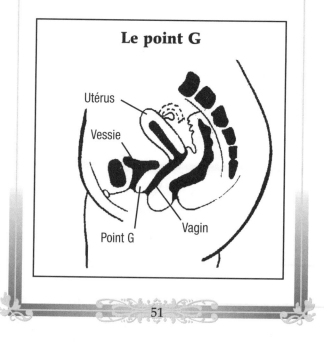

Le point G

Utérus

Vessie

Point G

Vagin

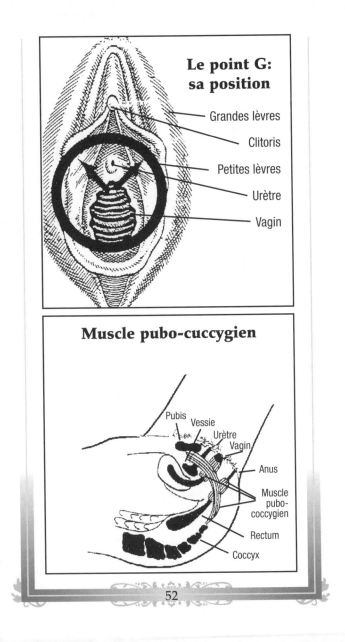

Le point G: sa position

- Grandes lèvres
- Clitoris
- Petites lèvres
- Urètre
- Vagin

Muscle pubo-cuccygien

- Pubis
- Vessie
- Urètre
- Vagin
- Anus
- Muscle pubo-coccygien
- Rectum
- Coccyx

CHAPITRE 3

LA BONNE VOLONTÉ DU PARTENAIRE

*A*vant de commencer à expliquer les meilleures techniques de stimulation pour découvrir le point G à deux, il faut souligner que le partenaire doit faire preuve d'une très bonne volonté, se montrer compréhensif et patient au besoin. Si vous faites l'amour avec un homme qui n'a pas de patience, qui aime faire l'amour rapidement, qui préfère les «p'tites vites» aux relations plus longues, vous aurez peut-être de la difficulté à le convaincre de faire les exercices en question. Il est cependant possible de l'intéresser à votre recherche du point G. Ces exercices peuvent vraiment devenir un jeu, un grand plaisir. Il faut mettre de côté les tabous, la gêne, et bien suivre les étapes. Un homme qui aime le sexe ne boudera jamais son plaisir devant une femme qui veut le faire jouir au maximum, qui le valorise et qui lui enseigne à devenir un bon amant.

EXHIBITIONNISME

La première étape consiste à atteindre un degré d'excitation qui permettra à la femme de bien se détendre. Tous les exercices que nous vous suggérons peuvent être faits dans un contexte de relation sexuelle. Il ne s'agit pas ici d'une thérapie où souvent les thérapeutes vont interdire aux partenaires d'avoir une relation sexuelle complète. Quand elle se sent prête, la femme peut s'installer dans un endroit où elle est à l'aise (il serait bon de sortir de la chambre à coucher pour faire changement si vous faites l'amour toujours à cet endroit) et, après vous être déshabillée partiellement, vous vous installez à quatre pattes et vous offrez vos parties génitales à votre partenaire. Il est important de garder un vêtement sur le corps, un t-shirt par exemple; les hommes disent souvent qu'une femme à moitié nue est toujours plus excitante. Une fois dans cette position, vous pouvez commencer à vous caresser et à inviter votre partenaire à vous caresser. Avec votre main, dirigez-le, montrez-lui où et comment il peut entrer ses doigts dans votre vagin. Bougez les fesses, allez chercher vous-même les caresses que vous désirez. Pendant ce temps, vous pouvez masturber votre conjoint; vous pouvez aussi le caresser avec votre bouche s'il s'installe sous vous, ses mains peuvent vous caresser facilement la vulve. Ne vous gênez pas non plus, dans cette position, pour caresser votre clitoris. Vous pouvez, si votre conjoint n'est pas trop rapide, s'il peut retenir assez facilement son orgasme et son éjaculation, tenir cette position et faire l'amour ainsi pendant 20 minutes ou une demi-heure. Le but est de bien chercher le point G. N'oubliez pas qu'il est situé dans le tiers antérieur du vagin, comme nous l'avons expliqué précédemment. Il faut aussi dire à votre partenaire que votre but est de découvrir votre point G. Il ne faut pas vous décourager si ce premier exercice ne donne pas des résultats immédiats. Répéter l'expérience plusieurs fois par semaine pourra vous conduire à la découverte du point G.

PAR-DERRIÈRE

Comme nous le disions ci-dessus, la meilleure position pour une femme pour jouir avec éjaculation est de se faire pénétrer par-derrière. Un peu comme dans le premier exercice, vous vous installez sur les genoux, les fesses bien relevées; vous demandez à votre partenaire de vous pénétrer de cette façon. Si vous êtes vraiment déterminée à découvrir votre point G, il est fortement conseillé de choisir cette position pendant un certain temps. Comme dans le premier exercice où votre partenaire caresse votre vagin avec les doigts alors que vous vous tenez sur les genoux, la pénétration dans cette position vous permet de bien bouger et de sentir plus intensément le pénis qui vous pénètre. Vous pouvez aussi, pendant la pénétration, caresser très facilement votre clitoris ou demander à votre partenaire de le caresser. En plus, l'homme peut caresser vos seins, contrairement à la position du «missionnaire» où il ne peut presque pas vous toucher. Dans cette position, il est aussi possible de se faire caresser l'anus. En ce qui concerne l'anus, il faut noter que certaines femmes n'aiment pas beaucoup ou craignent que les hommes caressent cette partie de leur corps. On a souvent remarqué que les femmes qui ont accouché peuvent avoir l'anus un peu plus sensible et refusent la caresse anale. Il faut respecter ces choix, mais il faut aussi que la femme fasse un effort pour développer toutes les parties érogènes de son corps. Même si vous êtes à la recherche de votre point G, il ne faut jamais négliger les autres parties sensibles de votre corps. L'anus peut justement favoriser cette augmentation du plaisir et aider à découvrir le point G. La position par-derrière peut aussi permettre à un homme de bien caresser toutes les parties érogènes de votre corps et vous aider à jouir plus fortement.

À CALIFOURCHON

La position de la femme assise sur l'homme comporte plusieurs avantages pour la femme. Elle contrôle la relation sexuelle, le va-et-vient du pénis dans son vagin. Elle peut en contrôler le rythme et la position. En penchant le buste vers la poitrine de l'homme, le pénis prendra une certaine position dans le vagin; en se redressant pour former un angle droit avec le corps de son partenaire couché, le pénis pourra stimuler d'autres parties du vagin. Si la femme se penche encore plus par-derrière, le pénis changera d'angle et lui donnera une chance encore plus grande de découvrir son point G. En outre, cette position favorise la caresse des autres zones érogènes comme les seins et la bouche. Quand vous vous couchez sur votre partenaire, vous pouvez l'embrasser facilement. Pour faire plaisir à votre partenaire, vous pouvez également caresser ses testicules, ce que les hommes adorent.

Par contre, la position à califourchon ne facilite pas tellement la caresse du clitoris. Il faut vraiment que votre corps soit projeté vers l'arrière pour offrir votre clitoris à votre partenaire. Il faut mentionner ici que vous ne devez jamais avoir peur de caresser votre clitoris vous-même si votre partenaire ne le fait pas ou s'il n'est pas en bonne position pour le faire. Il ne faut jamais oublier que le corps, en sexualité, forme un tout et que plus il est stimulé, plus le plaisir sera grand.

COUCHÉE SUR UNE TABLE

Saviez-vous que plusieurs femmes avaient le fantasme de faire l'amour en étant couchées sur une table. Cette position présente plusieurs avantages. On peut choisir une table ou tout autre meuble pour faire l'amour. L'important est de choisir un meuble confortable (faire l'amour sur une table de billard est un fantasme qu'on rencontre souvent chez les femmes). Il y a plusieurs aspects positifs à faire l'amour en étant étendue sur une table. La pénétration peut être nettement plus profonde. Si vous ne sentez pas suffisamment le membre de votre partenaire en vous, vous pouvez vous avancer, bouger; vous pouvez reculer, aller chercher votre plaisir comme vous le désirez. Cette position, excellente pour stimuler le point G, est aussi très bonne si vous voulez caresser votre clitoris puisqu'il est accessible. Votre partenaire peut aussi caresser vos seins, caresser facilement votre anus, faire tout ce que vous désirez. Le seul désavantage de cette position est peut-être l'angle que prend le pénis en vous. Il est possible que le point G ne soit pas directement stimulé; mais comme en bougeant votre bassin, vous pouvez bien sentir le membre de votre amant en vous, il n'est pas impossible que vous fassiez de grandes découvertes dans cette position.

SUR LE CÔTÉ

Cette position, dite en «chien de fusil» est, après celle du «missionnaire», une des plus populaires. Elle comporte plusieurs avantages pour vous aider à découvrir votre point G. Si cette position n'est pas très efficace quand vous vous caressez seule tout en recherchant votre point G, elle peut devenir très intéressante en couple. Pourquoi? Parce qu'il s'agit d'une position où les deux corps peuvent être en parfaite harmonie. Vous vous couchez sur le côté en tournant le dos à votre partenaire. Il s'installe derrière vous et il vous pénètre. Tout l'arrière de votre corps est appuyé contre la poitrine, le ventre et les cuisses de votre partenaire. Dans cette position, vous avez la possibilité de bouger assez facilement; vous pouvez aussi soit vous caresser aisément ou vous faire caresser.

Le clitoris, pendant la pénétration, est très accessible. Si vous vous tournez un peu plus sur le dos, le pénis bouge en vous et permet une recherche adéquate de votre plaisir. La position du «chien de fusil» est une position plus romantique, une position qui nous permet vraiment un rapprochement corporel. On peut même s'embrasser facilement. Le plus grand désavantage, c'est l'homme qui le subit puisqu'il ne peut pas être caressé adéquatement.

LA RELATION ORALE

C'est bien connu, les hommes aiment bien se faire sucer, avoir des relations orales. Dans les conversations où ils parlent des femmes, ils veulent toujours savoir si une femme avale le sperme de son partenaire. Pourtant, les mêmes hommes ne sont pas nécessairement des fervents de la relation orale quand vient le temps de sucer, d'embrasser les parties génitales de leur maîtresse ou de leur conjointe. Pourtant, ce geste sexuel peut vraiment aider une femme à découvrir son point G. Pendant que votre conjoint vous suce, il peut aussi entrer les doigts dans votre vagin. Il est en parfaite position, surtout si vous êtes couchée sur le dos, pour bien faire pénétrer ses doigts en vous. Cependant, la position du 69, surtout si vous êtes couchée sur le dos et que votre partenaire se trouve par-dessus, ne favorise pas tellement la caresse du vagin. Par contre, si vous vous installez dans votre fauteuil préféré, si vous ouvrez bien les jambes et que vous vous laissez embrasser le clitoris, si la langue de votre partenaire mouille bien votre vulve et que ses doigts cherchent en vous le plaisir suprême, vous aurez vraiment la possibilité de trouver votre point G. Cette position peut aussi s'avérer une parfaite préparation à la pénétration.

LA RELATION ANALE

Il faut ici que vous vous sentiez parfaitement libre de pratiquer cette technique pour stimuler votre point G. La pénétration anale n'est pas acceptée par toutes les femmes. Il y a, comme on le soulignait précédemment, une association entre l'anus et les excréments qui fait souvent peur aux femmes. Plusieurs femmes craignent les douleurs si elles se font pénétrer par l'anus, si elles se font sodomiser. Mais, si vous acceptez cette forme de relation sexuelle, vous pourrez découvrir de grands plaisirs. Il faut souvent utiliser un lubrifiant pour faciliter la pénétration. Une fois que vous sentez le pénis de votre conjoint en vous, vous pouvez très facilement caresser votre vagin, entrer les doigts en vous pour palper, pour découvrir tous les plaisirs. Cet exercice n'est pas essentiel à la découverte du point G, mais si vous voulez mettre tous les avantages de votre côté, nous le conseillons fortement. Mais cet exercice, nous tenons à le préciser clairement, est laissé à votre discrétion. N'oubliez jamais qu'il faut être très détendue pour vivre une relation anale.

VOTRE ÉJACULATION

Il faut maintenant parler de l'éjaculation féminine plus spécifiquement. On sait, grâce aux nouvelles découvertes, que l'orgasme peut venir de plusieurs sources. Certaines femmes peuvent même atteindre l'orgasme uniquement par la caresse des seins avec la bouche et les mains. L'orgasme est d'ailleurs un phénomène très spécial. Certaines femmes paraplégiques, c'est-à-dire qui sont paralysées de la taille jusqu'au bout des orteils, peuvent avoir des orgasmes uniquement par certaines caresses, même si les terminaisons nerveuses de leurs organes génitaux ne peuvent pas détecter le toucher. Cette constatation prouve, hors de tout doute, que l'orgasme est souvent cérébral, qu'il vient de notre cerveau avant de venir de nos organes génitaux. Cela dit, il ne faut pas s'imaginer qu'on peut avoir des orgasmes uniquement en y pensant, en se concentrant.

L'orgasme clitoridien est le plus connu. C'est facile à comprendre. Le clitoris, bien qu'assez petit, est à l'extérieur du corps. Quand les jeunes femmes explorent leur corps, elles vont découvrir beaucoup plus facilement leur clitoris. La très grande majorité des jeunes femmes, surtout si elles sont vierges, n'oseront jamais faire pénétrer un doigt ou un objet dans leur vagin. Elles vont avoir peur de perdre leur virginité et elles peuvent aussi avoir peur de se faire mal. Il n'est donc pas étonnant, en constatant ces faits, de rencontrer plus de femmes qui jouissent du clitoris. Ce qui ne veut pas dire, par contre, qu'elles ne peuvent jouir autrement.

Maintenant, si vous avez déjà éjaculé en faisant l'amour ou si, après avoir fait tous les exercices que nous vous présentons dans ce livre, vous faites l'heureuse découverte de l'éjaculation, voici quelques petits secrets et petits trucs pouvant rendre votre plaisir beaucoup plus intense encore.

Il est très important, si vous éjaculez, de mettre une serviette, un linge sous vous quand vous faites l'amour. Non pas que le produit de votre éjaculation soit malpropre; mais quand vous faites l'amour, il n'y a rien de plus désagréable que de devoir se lever immédiatement après l'amour pour essuyer les draps (certaines femmes vont même changer les draps parce qu'elles ne supportent pas de dormir dans cette humidité). Il est donc tellement plus facile d'installer, sous vos fesses en faisant l'amour, une serviette ou un linge ayant une texture que vous aimez. De cette façon, dès que vous avez terminé de faire l'amour, vous n'avez qu'à jeter la serviette en bas du lit, du divan, de la table de la cuisine ou du fauteuil (il est vraiment important de changer d'endroit quand on fait l'amour!) pour pouvoir relaxer pleinement après un si grand plaisir.

Il est aussi très agréable pour une femme qui éjacule de demander à son partenaire d'avaler le liquide. Il faut qu'une femme connaisse bien son corps, surtout si elle éjacule au moment de la

pénétration, pour demander à son partenaire de mettre la tête entre ses jambes et
d'avaler le produit de son éjaculation,
tout en suçant le clitoris. Si votre partenaire, votre conjoint ou votre amant re-
fuse de poser le geste, rappelez-lui genti-
ment que vous n'hésitez pas, quand il
vous le demande, d'avaler son sperme (si
vous le faites, évidemment). Le meilleur
moyen de vivre cette expérience est de
demander, quelques secondes avant votre
orgasme, à votre amant de vous embrasser les organes génitaux. Vous pourrez
continuer à vous caresser, vous pourrez
demander à votre amant de continuer à
vous caresser aussi; et quand votre
éjaculation surviendra, vous pourrez vivre
des moments très spéciaux. Il faut se
rappeler que le liquide que vous éjaculez
est sensiblement composé des mêmes
substances que le liquide spermatique de
l'homme. Si vous pouvez en avaler, un
homme peut aussi très bien le faire.

Il est très important, quand on
parle de l'éjaculation féminine, de mettre

tous les préjugés de côté. Certaines femmes qui éjaculent ont cru qu'elles étaient anormales pendant de très nombreuses années. Comme elles font partie d'une certaine minorité, elles ne comprenaient pas ce qui pouvait leur arriver. Il faut insister sur le fait qu'il ne s'agit pas d'urine et que l'éjaculation provient de l'urètre et non du vagin. Grâce à la connaissance du point de Gräfenberg, il y a de plus en plus de femmes qui découvrent leur point G. Il faut encourager les autres à explorer leur corps, à faire des découvertes qui ne peuvent que conduire les femmes à une plus grande sensualité.

LESBIENNES

Il n'y a pas que les femmes hétéro-sexuelles qui peuvent découvrir leur point G. Il ne faut pas nécessairement faire l'amour avec un homme pour découvrir le point G et pour avoir des orgasmes avec éjaculation. Les lesbien-nes peuvent très facilement éjaculer lors de leur orgasme. On a remarqué que les lesbiennes, lors de certains témoignages, admettent éjaculer au moment de leur orgasme. Il faut supposer que deux femmes qui font l'amour ensemble vont se caresser le vagin avec les doigts beaucoup plus longtemps qu'un homme va le faire avec une femme. Si un pénis peut mener une femme à l'orgasme vaginal, un doigt ou un objet peut très bien provoquer la même réaction. Si des femmes homosexuelles lisent ce livre, elles doivent simplement remplacer les exercices où le pénis est mis en action par un objet ou par les doigts de la partenaire. Quant au début des exercices traitant de la stimulation maximale du point G, quand la femme est seule, une lesbienne n'a pas besoin de faire de changements.

CONCLUSION

POUR LE PLAISIR

*L*a sexualité a une fonction bien simple dans notre vie, elle doit nous apporter du plaisir. À ce stade-ci de notre livre, il est très important de dire aux femmes de ne pas se mettre de pression sur les épaules pour découvrir le point G. Certaines femmes vont passer leur vie entière à avoir une vie sexuelle très active, très jouissante, sans problème orgasmique, et ce, tout en n'ayant jamais d'orgasmes vaginaux accompagnés d'une éjaculation. Une femme n'est pas plus sensuelle ou plus attirante sexuellement parce qu'elle a découvert son point G. L'important, c'est d'avoir du plaisir en faisant l'amour et d'atteindre, la plupart du temps, l'orgasme (on peut avoir beaucoup de plaisir en faisant l'amour certains jours sans nécessairement atteindre l'orgasme). La découverte du point G et l'orgasme avec éjaculation représentent tout simplement une nouvelle expérience sexuelle, des sensations agréables mais pas essentielles à notre équilibre sexuel.

On parle depuis quelque temps des orgasmes utérins chez les femmes. Lors de la relation sexuelle, on croit que l'utérus peut avoir des contractions qui provoqueraient des orgasmes vaginaux. Évidemment, ces contractions sont involontaires et il n'existe, du moins présentement, aucun exercice connu qui aiderait les femmes à stimuler leur utérus pour le contracter plus facilement lors de la relation sexuelle. Mais rien n'est impossible. Il y a à peine trente ans, peu de gens connaissaient l'orgasme avec éjaculation chez la femme, du moins on n'en parlait pas. Maintenant, on connaît des exercices adéquats que les femmes peuvent faire pour découvrir leur point G.

PRÉCAUTIONS

Pour terminer, on doit mettre en garde les couples, surtout les nouveaux couples qui se forment, de toujours se protéger quand on a des relations sexuelles avec un partenaire qu'on connaît peu ou pas du tout. Le condom est la meilleure protection, la seule à vrai dire, qui pourra vous éviter une MTS. On ne parle que du sida depuis les dix ou quinze dernières années, mais les autres maladies transmissibles sexuellement, bien qu'elles se traitent plus facilement que le sida et ne conduisent pas à la mort, sont toujours bien présentes. Quand vous faites seule les exercices, il n'y a évidemment pas de problème. Quand vous faites vos exercices avec un partenaire dont vous ne connaissez pas le passé sexuel, il est très important d'utiliser un condom. Il est tout de même un peu malheureux de parler des inconvénients qu'entraînent les relations sexuelles à l'aube du XXIe siècle, la sexualité devrait être une célébration de la joie et du plaisir. Il y a moyen, bien sûr, de continuer à bien vivre sa sexualité, mais il faut toujours être prudent. Sans pénétration, en faisant les exercices avec un partenaire, le condom n'est pas obligatoire; mais dès que vous prévoyez avoir une relation sexuelle complète, que vous décidez de faire les exercices qui exigent la pénétration, le condom ne vous dérangera pas du tout. Ne prenez pas de risque, ayez du plaisir tout en chassant de votre esprit qu'il existe du danger à se faire plaisir.

Cela dit, le condom n'est plus nécessaire quand la confiance est bien établie entre vous et votre partenaire. Utilisez-le de façon érotique. Il y a des façons de rendre l'utilisation du condom agréable. Par exemple, si vous le mettez en place vous-même sur le pénis de votre partenaire, vous pouvez, en même temps, le caresser, prendre ses testicules dans vos mains, lui caresser doucement l'anus. Vous verrez qu'il ne se rebiffera pas à l'idée de faire l'amour avec un condom.

Nous voici rendues à la fin de notre recherche. Il ne faut pas sauter les étapes, il ne faut pas non plus se mettre une pression sur les épaules et se décourager si jamais la recherche du point G est plus longue que vous le pensiez. Comme nous le disions, la découverte du point G n'est pas essentielle pour vivre une saine sexualité; c'est tout simplement une autre façon de jouir, d'avoir des orgasmes.

D'une façon ou d'une autre, l'important c'est d'avoir du plaisir quand on fait l'amour. Si la découverte de votre point G augmente votre plaisir, c'est un plus; mais si vous éprouvez des difficultés à le trouver et que vous continuez à jouir grâce à d'autres stimulations, tout va bien.

Et de toute façon, point G ou pas, si vous faites les exercices que nous vous suggérons, nous vous garantissons que vous allez avoir du plaisir. Et vos chances de le trouver, ce fameux point G, seront excellentes.

Bonne recherche!

UN LIVRE EXCELLENT À LIRE
ABSOLUMENT

Bon de commande →

Bon de commande pour

Le point G
de Claire Bouchard

Oui, je veux recevoir LE POINT G de Claire Bouchard au coût de **$10,65** ($5,95 + $4 de frais de poste et de manutention + 0,70 de TPS).

Faites votre chèque ou mandat poste au nom de Édimag inc. ou faites porter à votre compte VISA.

N° de la carte: ....

Date d'expiration: ....

Signature: ....

Postez le tout à l'adresse suivante:
Édimag inc., C.P. 325 Succursale Rosemont,
Montréal, Canada H1X 3B8

Votre nom: ....

Adresse: ....

Ville: ....

Province: ....

Pays: ....

Code postal: ....

Téléphone: ....

Recevez
GRATUITEMENT
notre catalogue
et en plus recevez un
LIVRE CADEAU*†
et de la documentation
sur nos nouveautés

Remplissez et postez ce coupon à Édimag inc.
C.P. 325, Succursale Rosemont
Montréal, QC, CANADA H1X 3B8

LES PHOTOCOPIES ET LES FAC-SIMILÉS
NE SONT PAS ACCEPTÉS.
COUPONS ORIGINAUX SEULEMENT

Allouez de 3 à 6 semaines pour la livraison.

* En plus de recevoir gratuitement le catalogue, je recevrai, et ce gratuitement, un livre au choix du département de l'expédition.
† Pour les résidents du Canada et des États-Unis seulement. Un cadeau par achat de livre et par adresse postale.

Comment stimuler le point G

Votre nom:..

Adresse:..

....

Ville:..

Province/État..

Pays:..

Code postal:..Âge:................

Comment stimuler le point G

Comment stimuler le point G

Comment stimuler le point G